ISBN : 978-2-215-10420-9

Dépôt légal à la date de parution.
Conforme à la loi n° 49-956 du 16 juillet 1949
sur les publications destinées à la jeunesse.
Imprimé en Italie. (03/10)

Zoé est trop bavarde

Conception :
Jacques Beaumont
Texte :
Fabienne Blanchut
Images :
Camille Dubois

FLEURUS ÉDITIONS, 15-27 rue Moussorgski, 75018 PARIS
www.fleuruseditions.com

Zoé n'arrête pas de parler. En jouant, en prenant son bain et parfois même en mangeant. C'est fatigant !

Mais quand elle devient une Princesse Parfaite, Zoé ne parle pas à tort et à travers. Elle sait écouter et se taire.

Quand Maman est au téléphone, Zoé questionne : « C'est qui ? C'est Papy ? Laisse-moi lui parler, je dois absolument lui raconter ma journée au centre aéré », décrète-t-elle en tirant sur le combiné.

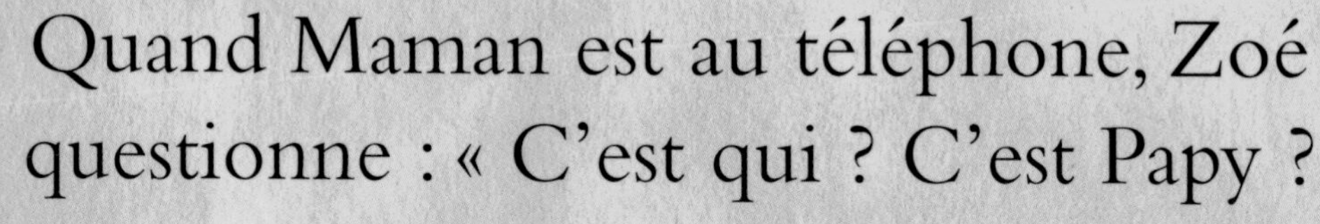

Mais parfois Zoé est une Princesse Parfaite ! Elle laisse Maman téléphoner en paix et s'assied à ses côtés pour dessiner. Elle parlera à Mamy quand Maman aura fini.

La maîtresse vient de gronder Zoé. Elle était en train de bavarder avec Noé au lieu d'écouter.

Mais parfois Zoé est une Princesse Parfaite ! En classe, elle est sage comme une image ! Et si elle parle, c'est en chuchotant, pour que cela ne soit pas gênant.

Les voyages en voiture sont une vraie torture. À peine installée dans son siège auto, Zoé commence à jacasser. Et, bien sûr, sa question préférée est : « Maman, Papa, on n’est pas bientôt arrivés ? »

Mais parfois Zoé est une Princesse Parfaite !
La route des vacances, c'est toujours long.
Alors, autant piquer un petit roupillon.
Serrant fort son doudou, elle se laisse bercer
en douceur par les « ronrons » du moteur.

En pleine discussion avec Papa et Adam, Zoé se lève d'un bond. « Je dois aller aux W.-C., mais je laisse la porte entrebâillée. Comme ça, on pourra continuer à parler », leur lance-t-elle en défaisant les boutons de son pantalon.

Mais parfois Zoé est une Princesse Parfaite ! Assise sur la cuvette des toilettes, la porte fermée et une pile d'albums à ses pieds, Zoé regarde les images. Pour toute la famille, c'est vraiment reposant !

À table, parce qu'il est impossible
de la faire taire, Zoé finit toujours
son assiette la dernière. Tout le monde
doit l'attendre pour le dessert !

Mais parfois Zoé est une Princesse
Parfaite ! Elle sait que parler
la bouche pleine, c'est mal élevé.
Alors, elle se tait.

Quand Papa regarde la télé, Zoé parle sans arrêt. Impossible pour lui de voir les informations télévisées sans être dérangé.

Mais parfois Zoé est une Princesse Parfaite ! Elle s'assoit sans bruit sur le canapé et joue sagement avec sa poupée.

À l'heure du bain, Zoé la pipelette a encore beaucoup de choses à raconter. Maman, dont la tête va exploser, trouve une astuce et propose de lui laver les cheveux. Zoé, qui n'apprécie pas vraiment le shampooing, ferme la bouche et se tait enfin.

Mais parfois Zoé est une Princesse Parfaite ! Dans l'eau, elle profite de ce moment pour se détendre et repenser à sa journée. Tout à l'heure, Papa va rentrer, et elle s'est promis de tout lui raconter sans rien oublier.

Au cinéma, Zoé pose sans cesse des questions : « Maman, qu'est-ce qu'il fait, le prince charmant ? Maman, pourquoi la fée a-t-elle mal aux pieds ? » : Maman est très gênée.

Mais parfois Zoé est une Princesse Parfaite !
Le cinéma, c'est vraiment extra !
Elle garde ses questions pour
plus tard et, devant « Robin
des Bois », elle reste sans voix.

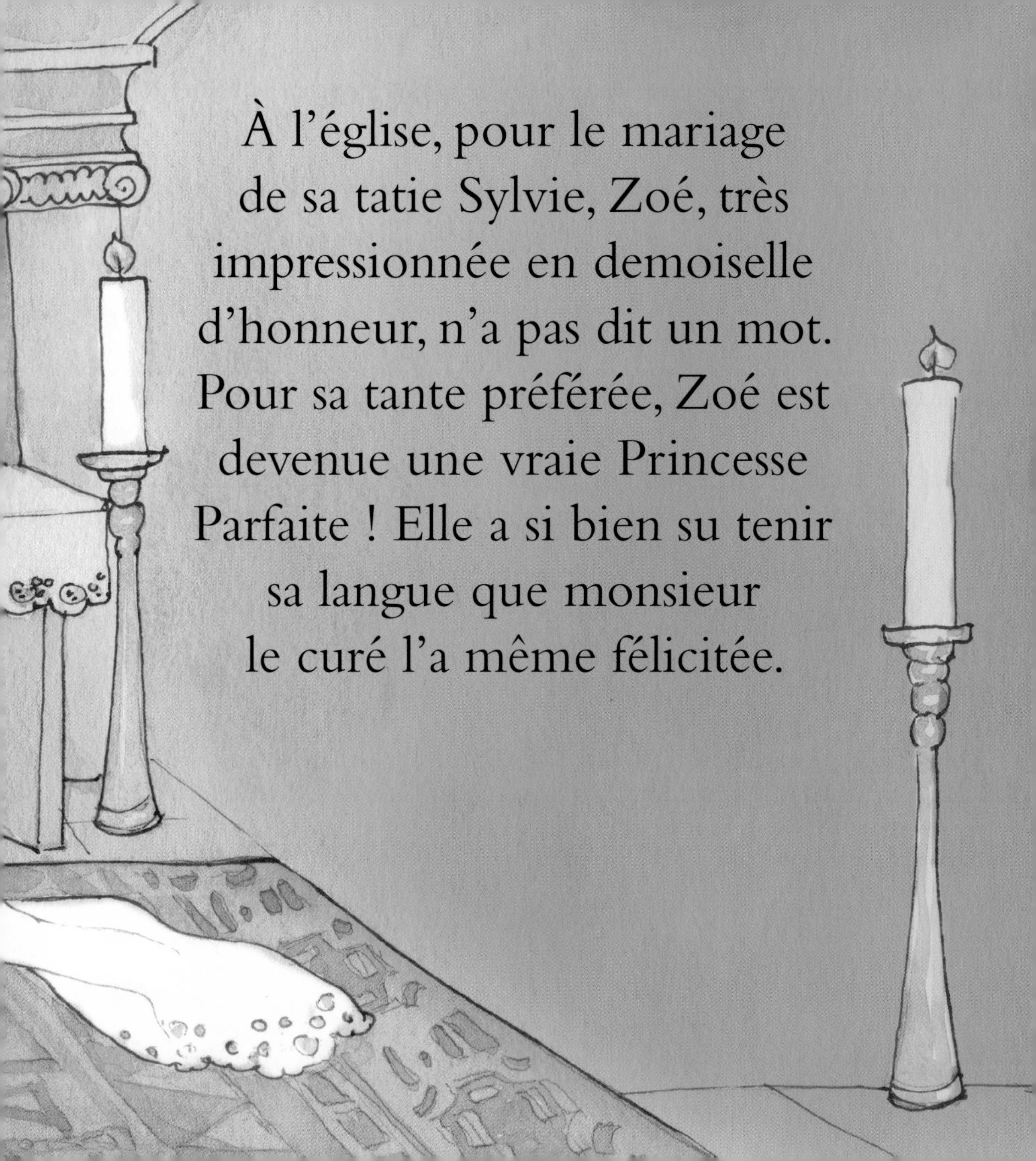

À l'église, pour le mariage
de sa tatie Sylvie, Zoé, très
impressionnée en demoiselle
d'honneur, n'a pas dit un mot.
Pour sa tante préférée, Zoé est
devenue une vraie Princesse
Parfaite ! Elle a si bien su tenir
sa langue que monsieur
le curé l'a même félicitée.